Lili regarde trop la télé

*Merci à Renaud de Saint Mars
pour sa collaboration*

Collection dirigée par Dominique de Saint Mars

Imprimé en Italie
ISBN : 978-2-88445-468-1

Ainsi va la vie

Lili regarde trop la télé

Dominique de Saint Mars

Serge Bloch

CALLIGRAM
CHRISTIAN GALLIMARD

MAIS...
LILI !!!
?!

Encore devant la télé ! Et au milieu de la nuit... je rêve !!!
Mais je... je n'arrive pas à dormir...
Tu es intoxiquée de télé, oui... ! Va te coucher tout de suite ! On en reparlera demain...

Tu te rends compte, Lili ?
À minuit et demi...
Il va falloir la faire vacciner... ou l'opérer... pour lui enlever le virus de la télé !
Mais il y a des reportages sur les animaux, la nuit...
Oui, mais la nuit, c'est fait pour dormir et se reposer de son travail.
Quand on travaille !
C'est ça, très drôle, Max...

Dis, Clara, j'ai bien envie de changer de nom... qu'est-ce que tu penses de Jennifer ?
Jennifer ? Mais pourquoi ?

Lili, c'est nul ! Jennifer, c'est « classe » et c'est mon héroïne préférée à la télé !
Ah oui, dans « Mon cœur à Chicago » ! C'est tarte, non... ?
... Ah, tu trouves, toi ?

Tu viens voir les nouveaux taille-crayons
de ma collection ?
Attends,
c'est pas l'heure de
« Deux flics en danger » !

Tu t'en fiches de moi ! Il n'y a que la télé !
C'est trop nul d'être collée comme ça !
Je fais ce que je veux ! On dirait
ma mère ! C'est ta collec qui est nulle !

On ne peut pas se brouiller ! C'est quand même ma meilleure amie, Lili... !

Laisse-moi tranquille ! J'en ai déjà raté la moitié à cause de toi...
BIEN!

Ah, Lili tu tombes bien...
On doit m'apporter
un paquet mais...
Ouaf !

... Mais tu dois partir,
je vois... !
Tu devines tout !
Mais je croyais que
tu allais jouer chez
Clara ?

Non, je suis fatiguée.
Je vais regarder la télé.
Tu sais,
trop de télé,
ça fatigue aussi
et ça ramollit !

Moi, ça me remue les méninges !
Et ne t'en fais pas, je ne bougerai pas
de la maison !
Je compte sur
toi... merci !

DRIIIINNNG !

Ah c'est toi Clara... ? Euh, non, je ne veux pas revenir... en plus, je travaille ! Salut !

DRIIING !

Bonne réponse ! Alors madame Picpus, vous continuez ?
Non, arrête, Pluche, tu n'auras pas de chips !
Ouaf !

Pourtant on m'a dit qu'il y aurait quelqu'un... !
J'essaie avec le portable.
DRIIING !
Encore Clara !
Elle attendra !
Et toi, Pluche, tu ne vois pas que je suis occupée !
Ouaf !
Ouaf !

Mais c'est nul, ça... ! Qu'est-ce qu'il y a d'autre ?
ZAP !

PLUS TARD...
PIF ! BANG ! Tu vois, gros têtard, je t'ai retrouvé dans le noir !
J'en ai plus qu'assez de cette télé ! Le livreur a sonné, téléphoné et il est reparti avec mon paquet !

... Sûrement pas, je n'ai rien entendu !
Évidemment, avec le bruit de cette télé ! Éteins tout de suite !

Et ça ?
Mais c'est du pipi !
Tu n'as même pas
sorti le chien,
en plus !

Et c'est ma faute s'il lève la patte
partout ! Il est mal élevé,
c'est tout !
J'EN AI PLUS
QU'ASSEZ !
On va en parler
avec ton père !

À taaaable !
Le dîner est prêt...
Mmmm !
Ça a l'air délicieux, Paul !
Bon Lili, tu éteins
tout de suite
et tu viens... !
Miam !

Mais je n'ai pas faim...
Évidemment,
tu as passé la journée devant la
télé à grignoter n'importe quoi !
Qui regarde n'importe quoi
mange n'importe quoi !

C'est toi, avec ton foot, qui regarde n'importe quoi !

Mais tu le regardes bien avec moi, le foot !
Bof, quand je ne sais pas quoi faire d'autre...

La télé, c'est génial, à condition de choisir et de savoir s'arrêter...
... et de ne pas se laisser hypnotiser comme un papillon par la lumière.

Oui, mais les films, c'est comme les livres,
c'est magique ! Ça fait rêver!
Tu parles,
c'est bidon, ils font semblant et il y a
quarante types derrière la caméra...

Moi, je préfère les reportages,
c'est plus vrai...
Tu sais, en choisissant l'ordre
des images, on peut aussi
transformer la réalité.
Comme le film
sur la famille
lion... on voyait
que c'était des
bouts de films
différents !

Les enfants, avant de filer, aidez-moi à débarrasser.
ET PAPA ! ?
Bien sûr que je débarrasse... mais il y a les infos...

Oh non, je voulais regarder les dessins animés !

Mais tu n'as pas de travail ?
Euh... j'ai presque fini...

Regarde, maman, Lili n'est pas devant la télé... !
Mais elle travaille, je rêve !

Les enfants, il suffit de leur dire les choses clairement et ils comprennent !

Qu'est-ce que tu lis, ma chérie ? Tu révises pour demain ?

Quoi ? Euh non, c'est le programme télé...
SUPERTV

AH NON, c'est trop... ! Cette fois, on supprime la télé !
C'est ça, et moi je paye pour Lili !
Pour une fois que j'essayais de choisir !

Bon, du calme ! Venez ici tous les deux. Voyons ce problème télé...
Moi, si j'ai à choisir, je préfère jouer au foot avec mes copains, ou avec toi !
Moi, quand je suis seule, la télé c'est comme une amie, toujours prête à me parler.

Oui, je comprends... mais elle ne te répond jamais et elle fait tout à ta place !

Mais elle me branche sur le monde entier, c'est magique !

OOUH,
ce film, ça fait peur !
Ça me rappelle quand
la bande des grands
m'a attaqué.
Mais avec toi, papa,
j'aime bien.
Et tu t'es
défendu
comment ?

Comme ça... KARATÉKA !
Pfff... Ce film...
il y a trop de violence,
on n'y comprend rien...
Ah, si c'était moi qui
tenais la caméra...

En plus, madame se prend pour Spielberg, le cinéaste !
Faut avoir le sens critique, mon vieux !

Tiens, ça me donne une idée ! Si on demandait son camescope à Valentine pour faire un reportage ?
Mais sur quoi ?

Je ne sais pas...
sur la vie sauvage !
MANEL
On n'est pas au
Kenya !

Mais on a PLUCHE et
POMPON !
ET NOUS !

Alors ça serait...
LA FAMILLE SAUVAGE
au 21ème siècle !

Ça, c'est un projet intéressant... !
Être actif au lieu d'attendre
les bras croisés... Bravo !
Mais il faut penser à
un scénario avant de
commencer...

Je crois que j'ai une idée...
Moi aussi...
tu viens ?

LE LENDEMAIN...

On va tout filmer, surtout les parents...
... Pour qu'ils voient comment ils sont, eux aussi !

Allez, Max,
sois plus naturel !
C'est un reportage,
pas un film de guerre...
cool !

Arrête de faire la
star, Lili ! Je veux de
l'authentique,
du spontané !

Pas facile d'être naturel,
au début... !
Tu vas voir,
tu vas très bien
t'y habituer... !

Tu as réussi à filmer papa quand il parle la bouche pleine ?
... Et maman quand elle met les coudes sur la table ?

Maintenant il va falloir ruser pour les prendre devant la télé...
C'est ÇA, le cœur du sujet, il ne faut pas le rater !

Bon, j'arrive, tu te caches...
... et je filme... !

... Je n'arrive pas à dormir...
Et vous, vous dormiez ?
Euh... non...
pas du tout !

Je reste une minute avec vous... qu'est-ce que vous regardez ?
Euh... un film sur le dressage des chiens de traîneau...
Mais non, Paul, c'était avant ! Là, c'est la météo...

Tu devrais dormir un peu, papa...
Non ! Non ! Tu penses ! Mais j'y vais ! Tu viens, Max ?
Chut, il ne faut pas réveiller Lili en montant !

C'est formidable, depuis qu'ils ont cette caméra, les enfants ne s'intéressent plus à la télévision...
Je crois qu'on a réagi à temps et de façon intelligente... !

Maintenant, avec ce qu'on a pris cette semaine, on a de quoi faire un film génial !
Tu n'as plus qu'à sélectionner les meilleures images et faire le montage avec le père de Valentine.

LE LENDEMAIN...
Arrêtez, je n'en peux plus, c'est trop drôle !
T'as vu ? Attends, reviens en arrière, là, j'adore !
Vos parents ont assez d'humour pour voir ça ?
ZZZ....
RON..

Ben alors, de nouveau collés à la télévision ?
Euh non... c'est-à-dire qu'on regarde le film qu'on a fait.
Ah, c'est ça ? On peut voir ?

... Vous savez, euh...
c'est un documentaire,
mais, bon... c'est...
un peu exagéré,
quoi...
Mais non,
ce n'est pas
possible... !
RON

?!
papa,
papa ?

Ron... pschitt !

Mais non, les enfants ne font pas comme ça, quelle cochonnerie, cette machine !

Comment avez-vous fait... ?
Je ne peux pas croire...
C'est dur... mais ça doit être juste !
C'est sur les dangers de la télévision... euh, surtout pour garder son sens critique...
Mais ne vous fâchez pas, ce n' est pas spécialement contre vous... c'est contre nous aussi...

C'est de la télé, quoi !
Et puis c'est pas toute la réalité !
En tout cas, bravo ! C'est bien vu et vous nous avez bien eus... !

Et... vous nous prêteriez le camescope... éventuellement ?

Et toi...

Est-ce qu'il t'est arrivé la même histoire qu'à Max et Lili ?

Combien de temps par jour la regardes-tu ? As-tu plusieurs télés ? Est-ce un réflexe de l'allumer ? Peux-tu t'en passer ?

Ça te fait rêver ? rire ? Ça t'apprend des choses ? Ça te fait du bien ? Ça ne te gronde pas ? Tu te sens moins seul ?

Tu trouves tout bien ? Zappes-tu ? Ça t'ennuie de lire le programme ? Regrettes-tu parfois de l'avoir trop regardée ?

Est-ce que ça t'empêche de dormir, travailler ou lire ?
De te faire des copains, discuter, découvrir la nature ?

Te rappelles-tu ce que tu as vu ? En parles-tu avec tes amis ?
Oublies-tu parfois la réalité en prenant la place du héros ?

Ça énerve tes parents ? Préfères-tu la regarder avec eux ?
Trouves-tu qu'ils la regardent trop, sans te parler ?

On te l'interdit ? Ça te manque ? Ou tu l'as trop regardée ? Tu n'as pas le temps ? Tu n'as pas la télé ? Tu enregistres ?

Ça t'ennuie ? Ça t'abrutit ? Ça t'énerve ? Ça te rend triste ? Tu préfères jouer ? lire ? courir ? la vidéo ?

Il n'y a pas assez d'émissions bien ? Aimerais-tu faire un film ? Peut-on dire plus de choses avec des mots qu'avec des images ?

Choisis-tu ce que tu regardes ? As-tu l'esprit critique ? Sur les histoires ? les infos ? la pub ? les effets spéciaux ?

Tes parents regardent beaucoup la télé ? Tu aimes la regarder avec eux ? Organiser des soirées "télé" ?

Certaines images sont trop violentes et te font peur ? Tu penses que ça peut donner envie d'être violent ?

**Après avoir réfléchi
à ces questions
sur la télé,
tu peux en parler
avec tes parents ou tes amis.**